Casa Amarela

Donaldo Buchweitz

Ilustrações: Laerte Silvino

Ciranda na Escola

Dados Internacionais de Catalogação na Publicação (CIP) de acordo com ISBD

B921c Buchweitz, Donaldo

Casa Amarela / Donaldo Buchweitz ; ilustrado por Laerte Silvino - Jandira, SP : Ciranda Cultural, 2020.
32p. : il. ; 24 x 24cm.

ISBN: 978-65-5500-419-9

1. Literatura infantil. 2. Memórias. 3. Cidade. 4. Mudanças I. Silvino, Laerte. II. Título.

2020-1635 CDD 028.5
CDU 82-93

Elaborado por Vagner Rodolfo da Silva - CRB-8/9410

Índice para catálogo sistemático:

1. Literatura infantil 028.5
2. Literatura infantil 82-93

Este livro foi impresso em fonte Maax em janeiro de 2022.

Ciranda na Escola é um selo da Ciranda Cultural.

Produção: Ciranda Cultural

1ª Edição em 2020
2ª Impressão em 2022
www.cirandacultural.com.br

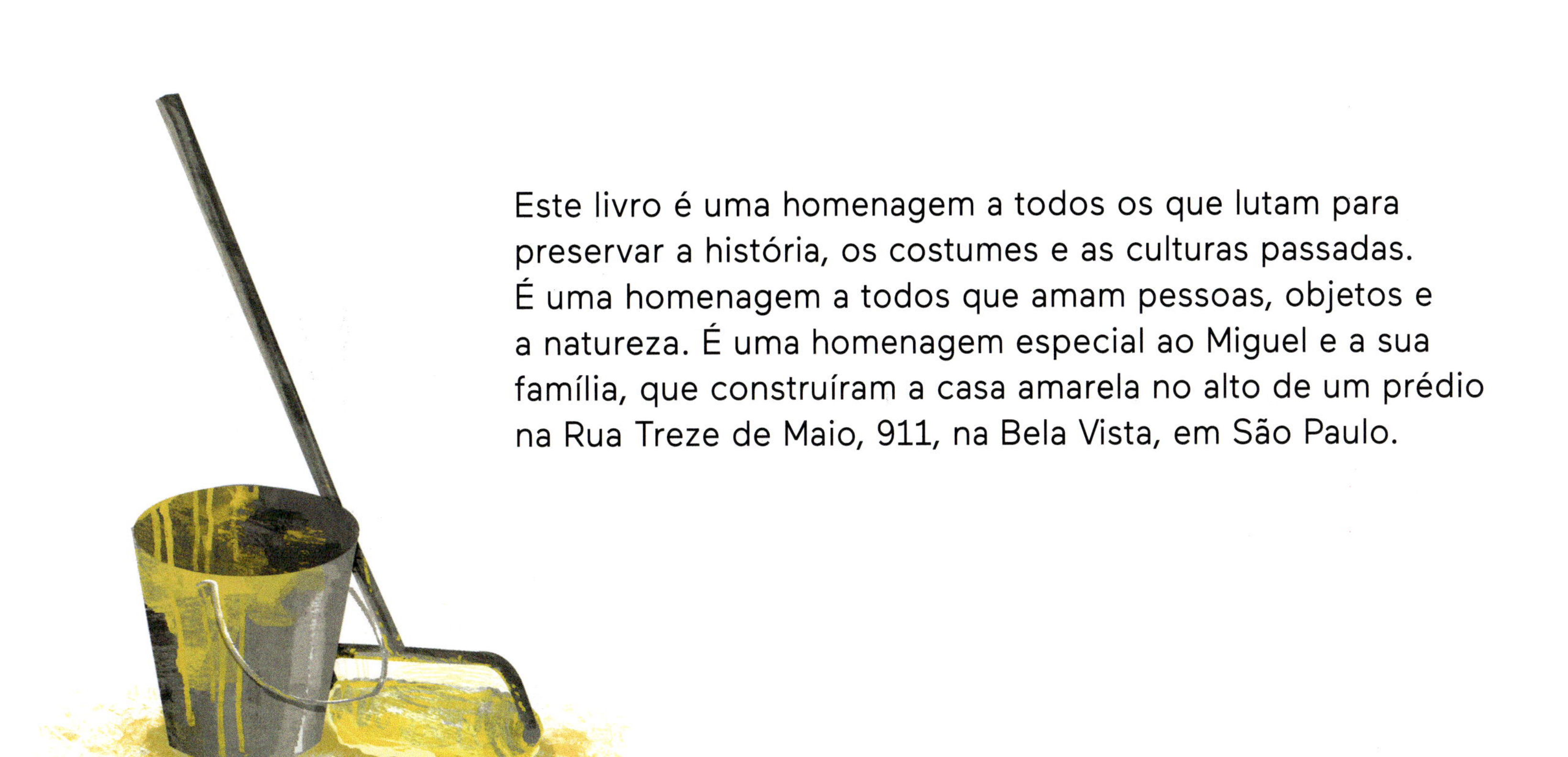

Este livro é uma homenagem a todos os que lutam para preservar a história, os costumes e as culturas passadas. É uma homenagem a todos que amam pessoas, objetos e a natureza. É uma homenagem especial ao Miguel e a sua família, que construíram a casa amarela no alto de um prédio na Rua Treze de Maio, 911, na Bela Vista, em São Paulo.

O prédio em que o sr. Miguel morava ficava bem no meio do quarteirão. A rua era larga, movimentada, um pouco barulhenta, até. Por onde andava, ele gostava de observar a paisagem.

77

Ele conhecia toda a vizinhança. O dono do bar da esquina, o filho da dona Vanda, que ia para a escola todas as manhãs puxando sua mochila de rodinhas, a moça que passeava com o cachorro peludo, o senhor da banca de revistas, o zelador do prédio de vidro... Todos o cumprimentavam. Ele sorria, acenava, conversava.

BAR

O sr. Miguel amava as pessoas, os objetos e a natureza. Sentia uma alegria especial em receber os amigos em sua casa. Sempre tinha histórias interessantes para contar. Havia música em todos os encontros. Ah, e o lanche que ele servia! Que sabor delicioso! Ele vivia rodeado de pessoas.

Aquele homem simpático, afável, de gestos elegantes, gostava de colecionar objetos antigos, especialmente relógios. Quando chegava alguém, contava a história de cada um deles. Sempre dizia, com um sorriso:

– Não coleciono objetos, coleciono histórias. E o que mais gosto é de compartilhar essas histórias.

O sr. Miguel morava ali no bairro desde jovem, quando tudo era verde. Não havia prédios. Só casas. As casas tinham fachadas magníficas. Cada uma delas parecia uma verdadeira obra de arte.

Um dia, ele viu algumas casas começarem a ser demolidas e edifícios pomposos e cheios de vidro subirem do chão rumo ao céu.

Tinham a sua beleza, ele admitia, mas eram
tão diferentes das aconchegantes casas com
que estava acostumado!

Uma grande tristeza tomou conta de seu coração. Com a demolição das casas, acabava um pouco da história do bairro, das famílias, da vizinhança, da cidade.

Ele sabia que a construção dos prédios acabaria com a proximidade entre os vizinhos, com a união que existia entre eles. Todos se conheciam, se ajudavam. Mas, com prédios tão altos, como seria possível conhecer todos os moradores da rua?

O sr. Miguel queria guardar no coração todas as casas que haviam sido demolidas, mas em seu coração não cabiam as casas, cabia apenas sentimento. Cabia saudade, cabia dor... Mas cabia também esperança.

Prometeu a si mesmo que um dia iria comprar um prédio e
no alto dele colocaria uma casa antiga, amarela e muito linda,
para que todos que passassem pela rua pudessem ver, no alto,
como era belo aquele bairro.

Os anos se passaram, e um dia ele comprou um prédio na rua em que morava. No topo do prédio, construiu uma casa amarela com um lindo quintal e uma bela fachada.

Todas as pessoas que passam pela rua, hoje, podem ver a casa. Mas só conseguem enxergar mesmo aqueles que têm olhos para a beleza, aqueles que procuram a beleza escondida no meio do concreto espalhado pela cidade.

Este é o prédio em que o sr. Miguel reúne os seus amigos para celebrar a vida, a amizade e, especialmente, para contar histórias. Quando músicos aparecem para tocar e cantar, o sr. Miguel logo fala "quero ouvir músicas, mas quero primeiro saber como e por que a música foi composta".

Um sonho se realizou, a casa amarela existe e, hoje, a alegria por ter feito algo tão bonito, tão belo, é maior do que a dor da saudade. A casa amarela tem muitas coisas para contar. Ela é uma linda história, mas dentro dela moram muitas outras histórias.

Assim também somos nós. Temos uma linda história e dentro de nós moram muitas outras histórias. Quantas histórias ainda queremos viver? Qual a história que queremos deixar como legado para as futuras gerações?

Casa amarela

Tem uma casa toda amarela,
ninguém sabe quem mora nela.
Sua janela é linda e bela,
sua fachada é coisa de novela.

Sua janela de azul foi pintada,
sua porta, ninguém se importa,
seu telhado vive molhado,
seu jardim tem uma bela horta.

Tem uma casa toda amarela,
ninguém sabe quem mora nela.
Sua janela é linda e bela,
sua fachada é coisa de novela.

Casa amarela, que coisa bela.
Dentro dela tem muita panela.
Na casa amarela, tudo me intriga,
muita coisa antiga do Bexiga.

Tem uma casa toda amarela,
ninguém sabe quem mora nela.
Sua janela é linda e bela,
sua fachada é coisa de novela.

Sua fachada é coisa de novela!

Ouça apontando a câmera do seu
celular para o QR Code abaixo: